너의 창문

KB177970

너의 창문

발　행 | 2024년 02월 15일
저　자 | 도수현
펴낸이 | 한건희
펴낸곳 | 주식회사 부크크
출판사등록 | 2014.07.15.(제2014-16호)
주　소 | 서울특별시 금천구 가산디지털1로 119 SK트윈타워 A동 305호
전　화 | 1670-8316
이메일 | info@bookk.co.kr

ISBN | 979-11-410-7192-9

너의

창문

도수현 지음

CONTENT

제2장 노란 반창고 42

머리말

사람의 마음에는 창문이 있다. 바깥세상을 이해하고 받아들이는 창문. 누군가가 한 말이나 행동을 창문의 모양에 따라 다른 뜻으로 받아들이는 것이다. 또 창문의 색깔에 따라서는 세상을 다른 형태로 받아들이며, 창문에 묻은 얼룩에 따라 세상에 대한 편견이 생기기도 한다.

나는 이 자그마한 시들이, 순수한 감정을 최대한으로 담아낸 시들이, 어긋난 창틀을 조금이나마 꿰맞추고 탁해진 유리를 조금이라도 다채롭게 하며 가득 진 얼룩을 조금이라도 지워 그대에게 전해질 수 있었으면 좋겠다.

제1장 붉은 마음

뜨거운 심장 박동 전해지길

산수

내게 너를 더하니
내 눈물 빠지더라

널 생각한 만큼
계속 더해 곱하니

네 한 걸음씩
내 행복 매기니

그에 끝이 없더라

선악과

광활한 하늘 새하얀 구름
만개한 꽃 푸르른 나무

따스한 햇살 싱그러운 풀 냄새
정교하게 꾸며진 극락

한껏 타오르는 지옥 불
다투는 몇 가지의 잔재들

나로서 살기에 갈 거라는
꾸밈없는 아비규환

발맞추며 눈 마주치며
손잡으며 점점 섞여가며

희망 없을 가시밭길
나와 함께 걸어보세

노래

귓가 맴도는 노래
머리에 그 가락 새겨진다.

머릿속 새겨진 가락
처음 새길 때 또한 남는다

새겨진 순간 깨어나 춤출라
그 감정 살아나 꿈틀댈라
조마조마하며 노래를 튼다.

아름답고 흥겨운 선율
지펴져 휩싸이는 기억

그 모두 어우러져 섞여
나를 어지럽게 한다.

그저 노래일 뿐인 그 가락
내 입꼬리를 들었다 놨다 한다.

가로등

사람 속도 모르고
저리도 어두운 하늘

속상한 줄도 모르고
달도 눈 감은 하늘

빛줄기 하나 없는 골목
어둠 가득 서린 골목
걸음 소리 좀 먹는 골목

밤 가르고 켜지는 가로등
내게만 비치는 가로등

내 마음 읽었느냐?
따뜻이 미소 짓는 가로등

불빛 이리저리 피하다가
발밑 그림자 된 어둠

언제든 피어오를 어둠

소매 속 담아둔 빛
언제든 펼쳐낼 빛

천지로 울려 퍼지는
천둥 같은 걸음 소리

되찾은 황혼

하늘 짓눌러 꺼뜨린 밤
틈 가로질러 피어난 별
다시금 밝게 비치는 빛

산맥 얼려 잠재운 눈보라
얼음 녹여 깨워낸 봄바람
푸르르게 춤추는 이파리

꽃밭 뒤덮어 빛 바라게 한 호우
눈물 거두어 화창하게 한 햇살
향긋하게 퍼져가는 향기

여기저기 가득 펼쳐진 황혼
그대 내게 되찾아준 황혼
그대와 같이 보려 한다.

바보

연필 잡기 전
선생님이 쥐여주신
아이스크림 하나

자리 앉기 전
친구가 얹어준
맛난 과자 하나

고맙다 말하는 웃음
정점을 찍는 너의 한마디

장난인 듯 진심인 듯
작게 뱉은 둘만의 암호

화려하고 뜻깊게 쓰지 않아도
두 눈 감탄하게 빗대지 않아도

이 작은 시 속 훤히 드러날
자그마한 내 진심과도 닮은, 바보.

그대를

처음 그대를 보고서
친분을 짓고 싶었고

점점 그대를 보고서
남다른 감정 쌓았고

날 보는 그대 보면서
확신 찬 사랑 세웠고

지금의 그대를 보면서
미래의 우리를 꿈꾼다.

백조

아아 백조야
아름다운 백조야

금빛 향기 퍼뜨리며
가득 우아한 자태야

뜨거운 땀방울 흘리며
찬란하게 추는 춤아

치렁거리는 빛 두르고
가득 펼친 날개야

네 마음껏 아리따울
큰 강이 되어보려 한다.

그중에서도 제일 어여쁠
큰 깃털이 되어보려 한다.

마음

맞닿은 눈빛이 지은 다리 위
끝없이 건너가는 말들

어떤 말은 기다란 문장 속
군데군데 마음 심어두고

어떤 말은 아담한 단어 속
힘껏 눌러 담아 마음 담아본다.

그대에게로 가는 말이라면
어떻게든 담아둘 붉은 마음을.

둥지

높고 험한 절벽 두른
두꺼운 둥지

감히 첫발 딛지 못할
태산 같은 둥지

그 위 기꺼이 올라
참으로 포근할 둥지로

아리따운 백조 맞이할
따스한 둥지 속으로

마침내 기다리던
네 품속으로

창고

마음 한편 자리 잡은
작고 아담한 창고

녹이 슨 문고리의 비린내
귀퉁이 가득 핀 곰팡이의 흙내

햇빛 사이 떠다니는 먼지 냄새
모두 뒤섞여 퀴퀴해진

차곡히 쌓인 어여쁜 기억
따스한 온기만은 남은 창고

저 구석 어딘가 잠들었던
요동치던 심장 고동을

터질 듯 붉어지던 귀를
꿀 가득 떨어져 맑던 눈을

시적인 단어 읊던 입술을
꺼낼 때가 왔나 보다.
그대를 보아하니.

종이꽃

여유 부리며 걸어가는 시침
제자리 다시 설 때까지
그대 옆자리 앉고픈 마음

그러지 못해 언제나 그대
그려만 보는 마음 담아
작은 시 한 편 써 내려가요

그 붉은 마음 담긴 종이
조심조심 접어서

나처럼 항상 피어있을
나 대신 영영 지지 않을
종이꽃을 접어 보내요

그대 언제나 내 마음
알아볼 수 있도록

연꽃

내 온몸 사이 뿌리내려
뼈대 휘감고서 타오르니
잿더미 남게 한 꽃

내 강가 죄 말리고서
초침 뒤 그림자 사이로
제 몸 숨겨버린 꽃

잔뜩 지친 채로 만나
강 위 둥둥 떠올라
솟구치는 파도 잠잠하게 한

방울 하나 없는 강 속
물고기 헤엄치게 한

예쁘게 만개하길 고대하는
강 한가운데 떠오른
연꽃 한 송이

잠에 들기 전

그 아름다운 춤사위 사이로
해 뜨기 전 오묘한 푸른 빛
머리 위 오른 해의 주홍빛

은은히 미소 짓는 달의 하얀 빛
모두 손짓 틈새로 비치고서야

무거운 몸 질질 이끌고
포근하고 안락한 침대 속
몸 던지는 그대여

그대 마침내 잠에 들기 전
내 심장 고동 가득 담은
편지 적어 날리는 까닭은

고단했을 춤사위의 끝매듭
웃으며 짓기를 바랄 만큼

그대 생각 머리끝까지
차올랐기 때문이다.

만년설

온 산 뒤덮은 꽃나무 만개하니
분홍빛 붉은빛 별 가득 피던 산

산불 죄 뒤덮여 흩어지니
쓰라린 마음 차게 식어가네
기어이 가득 서린 만년설

가벼운 그때 깃털 한 깃
사뿐히 위로 안착해
주문을 왼 듯 사르르
녹아내리는 만년설

그 위 새로 필 생명은
건조해 곧 타오를 꽃도
죽어가매 찬란한 별도 아닌

그대 닮아 은은히 푸르를
산들거리는 녹엽이다.

빈칸

나의 모든 길목 속
그렇게 남긴 발자국에도
아직 걷지 못한 길

나의 푸르른 화단 사이
그 수 많은 뿌리에도
아직 고운 흙뿐인 화분

나의 넓은 서랍 안
빼곡히 쌓인 편지에도
아직 비어있는 한편

이 생애 아직 비어있는
크고 작은 빈칸
그대와 채우려 한다.

이유

제각기 다른 별의 색채
빛줄기가 뛰노는 방향
하늘 속 별이 피어난 자리
이 모든 그대만의 것은

작은 등불 속에 그 색채 담는
빛이 남긴 발자국 따라 걷는
겨우 도착한 별 환대하는
내 모든 이유가 된다.

그대 내 안에 담아두는 이유
그대 좇으며 추종하는 이유
그대 반기며 사모하는 이유

파리지옥

그대 있는 곳으로 지는 그림자
이 한 몸 바쳐 갉아먹고 있다.
그 빛나는 웃음 꺼지지 않도록

내 몸 안으로 가득 쌓이는 어둠
샅샅이 흩어져 사지를 휘감네

내 모두를 먹어 치워 피어날 꽃
소름 돋게 하얀 꽃의 뿌리 되어

남김없이 파먹힐 줄 알면서
어김없이 그대 앞에 선다.
그대가 그대로 웃을 수 있다면

날 몰라줘도 괜찮으니
여전히 살아줄 수 있다면

*파리지옥은 꽃을 피우면 죽는다.

운명

시간을 따라 흘러가는 운명
시선을 따라 이어지는 운명
울리다가도 웃게 하는 운명

가장 좋은 씨를 가득 심어
가장 많은 비가 펑펑 내려
가장 밝은 빛의 곡식 거둬
가장 귀한 연이 내게 와야

그래야 겨우 만날 운명
내 손 잡고 이끈 곳에
과분할 만큼 귀한 곡식
가득 거두어져 있었다.

우연마저 완벽히 섞인 운명
곡식 내 품에 안겨주던 때
운명이 달빛 쬐어주던 때
그대가 빛 사이 서 있었다.

답

스쳐 지나가던 대화 사이
언젠가 우리가 말했었다.

서로에게 굳이 눈길을 돌린
수많은 이유를 압축하라는
호기심 섞인 질문을 봤었다.

너무 빠르게 흐르는 대화 사이
끝내 넘어가 버려 하지 못한 말
아직 말하지 못한 표현이 있다.

이 얼마 흐르지 않은 삶의 첫 숨
그 전까지의 생들이 남긴 공덕
여러 동화 같은 표현 들먹였던

우리가 만난 이유를 다 담아둔
기적이라는 단어로 답하려 했다.

앞에 수 놓인 시간 속 헤엄치며
질릴 때마저 멈추지 않을 만큼
끝없이 말해주려 한다.

바람 사이

마침내 겹칠 둘의 그림자
함께 들이마실 같은 공기

매일 밤 수화기 오가는 목소리
두 목소리가 함께 만들어가는
감격스레 찬란할 만남의 순간

두근대는 상상의 위대한 첫 줄
내가 서 있는 땅을 함께 밟았다.
그 땅을 빠르게 디뎌 걸어온다.

유유히 열차는 제 갈 길 가고서
떠나는 열차 일으킨 바람 사이
둘은 우리가 되어 끌어안는다.

이 마침표 뒤로 펼쳐질 상상도
눈물이 저절로 터져 나올 만큼
몹시 어여쁘고 반짝거리기를.

인연을 잘라 마침내

이제껏 불어오던 찬 바람
혼자서 맞아오던 이유는
옆구리 시려하던 이유는

노 저으며 항해하는 바다
허름한 나룻배 위로 앉아
홀로 파도 견뎌낸 이유는

폭풍 두 팔 벌려 막아줄 인연도
작은 배 함께 노 저어줄 인연도
그 만날 수 있던 모든 연을 잘라

어느 길이라도 그대 만나도록
모든 갈림길에 그대 서 있도록

이 가난하여 가엾은 가냘픈 인생
어느 마음 약한 신 측은하게 보아
선뜻 마지막으로 행한 개입이려나

향기로운 영광

사방을 틀어막은 어둠 속 갇힌
누군가의 한 가닥 빛줄기 되는

어둑한 밤하늘 물음표로 수놓는
누군가의 아담한 동그라미 되는

구멍 하나 남은 퍼즐 고뇌하는
누군가의 마지막 한 조각 되는

숨 가쁘게 떨리는 축복 얻어
마침내 이토록 소중해진다.

화음 섞인 나발 소리 울려 퍼질
화사한 꽃다발 한 아름 안아 줄

너무나 향기로운 영광 얻어
기어이 고귀한 행복 사이로

맞잡은 손 사이 향기 스치며
느긋하게 천천히 나아간다.

애쓰지 않아도

둘 사이 끝내 마침표 찍히기 싫어
기어코 끝매듭 지어가기 두려워
이 마음 태워 지핀 불씨 부디
꺼지지 않기를 간절히 빌며

너의 눈빛 피하는 망막을 떼어
너와 멀어지는 손가락을 떼어
침묵 유지하는 혓바닥을 떼어

시들어가는 불길 속으로 던져
억지로 잡으려 용쓰지 않아도

바라만 보고 잡고만 있어도
끊임없이 타오르는 그대여서

여전히 사랑하고 있기 위해
애쓰지 않아도 되는 그대여서
너무나 다행이다.

어느 날의 그대

어느 날의 그대는
우리의 눈빛 맞닿길
바라고 있는 것 같다가

어느 날의 그대는
내가 끝없이 짓는 꽃
버거워하는 것 같다가

어느 날의 그대로는
따스한 바람에 몸 녹이다

어느 날의 그대로는
잿가루 뭉친 눈물 흘린다.

어느 날의 그대는
지금의 그대는
무슨 생각을 하고 있나

그 빛을 본 이에게

맑고 밝은 빛 내뿜으며
서서히 죽어가는 별

짙은 먹구름 가려도
굳세게 고개 들던 별

어딘가에 닿기엔
너무나 아담하던 별

하늘을 바라본 그대에게
다행히도 겨우 닿고서

마지막 남은 한 줄기 빛
손에 쥐고 끝매듭 짓는다.

매듭 묶는 손짓 속
나머지 모든 열기 담아
어여쁜 유성우만 남도록

끝매듭마저 아름답게
두고두고 되뇌도록

기꺼이 같이 지어주어
고마울 뿐.

제2장 노란 반창고

따스한 위로 한마디 전해지길

로스트 베이로제 증후군

이토록 매서운 폭풍우 속
이토록 아픈 가시밭길 속

빠르고 시린 바람 피해
그대 등 뒤로 도망가네

따갑고 날카로운 가시 피해
그대 등 위로 업히네

모든 바람 그대가 맞을 줄 알면서
모든 가시 그대가 찔릴 줄 알면서
그대 내 몫까지 짊어질 줄 알면서

뜨거운 마음 명분 삼아
감히 내 짐 떠넘기는 줄 알면서
대신 눈물 흘리게 하는 줄 알면서

결국 고개 돌린 만큼
다 돌아오는 줄 알면서

*힘들거나 우울할 때 자신도 모르게 타인에게 기대는 현상

라마 증후군

아아 결국 도래하였나
그럼에도 타오르던 마음
끝내 눈물 떨어지는 순간

어떻게든 불 지피던 마음
차디차게 식어가는 순간

남은 기름 죄 바닥나고
돌아가던 태엽 녹슬어

껍데기만 남아버린 관계
아아 결국 도래하였나

우리 이은 실 사이로
슬픔 쏟아지는 때
이제는 어찌할 수 없는 때

*사랑에 슬픔이 동화되어 그것을 인정하지 않으려는 현상

햄릿 증후군

기어이 눈앞까지 찾아온
비극뿐인 선택의 기로

엉켜버린 실이 지은 길
눈물도 역경도 떠넘기다
끝내 잿빛 되어 바스러지는
끔찍한 하나의 비극

공허 수 놓는 나머지 길
끝나버린 관계 뒤 발 뻗어

써 내릴 것 없는 공백 사이
추락만이 무한히 이어지는
또 하나의 비극

시곗바늘 막아둔 뒷걸음
우리는 어찌해야 하나

*선택 장애

하인드 펙토리 버레드 증후군

언젠가 만년설 가득한 산
다시 홀로 남을 미래에
거센 눈보라 몰아치다가도

눈앞 쌓인 걱정거리 보더니
범 내려오듯 용암 솟구치는
만물 녹일 듯한 화산이다가

이리저리 낙뢰 꽂는 먹구름
그대 떠나갈 미래 그려보다
억수 같은 비 뿜어내다가도

아무 일 없었다는 듯
맑은 햇빛 지나가는
새하얀 구름이다가도

슬픈 결말뿐인 갈림길 앞
만감이 교차하는 밤

*갑자기 기분 좋아지거나 갑자기 기분이 나빠지는 현상

파랑새 증후군

이 길 저 길 살펴보는
두 눈 붉게 충혈되고

동동 구르기만 하는 발
껍질 벗겨져 속살 드러나며

태산같이 쌓인 고민
머리 지끈 아파지고
배 움켜잡고 쓰러지니

거울 속 서 있는 사람
성한 곳 하나 없구나

어쩌다 너는 기어이
거기까지 간 것이냐

*갈등, 스트레스 때문에 발생하는 심리적 긴장이 신체적인 증상
으로 나타나는 것

상심 증후군

따스한 온기 하나 남지 않은
기쁜 미소 한 점 남지 않은

우리 사이 이어진 실
얇은 목 거세게 죄어오니
마침내 그 한 가닥 잘라냈다

두 동강 나 휘청이는
단면 사이 발 내디뎌
그 아래로 떨어진다.

풀려가는 눈앞 흐려지고
식어가는 가슴 철렁하니

심장 박동 점차 느려지네
이 바닥 다다르는 순간
난 과연 호흡하고 있을까

*사랑하는 사람을 잃었을 때 심장의 펌프 능력이 현저히 저하
하는 증상

무드셀라 증후군

감히 내 몫 떠넘기던
감히 슬픔 퍼뜨리던
잘못 모두 뒤로한 채

어찌 미소 짓던 순간만
어찌 손 맞잡던 순간만
차곡히도 모아두려 할까

둘만의 역사서 다시 펼쳐
눈물 젖은 대목 지워낼까

눈물 흘리던 순간
내가 지은 죄마저 다
잊으려 하는걸까

수많은 죄 뒤로하고
어찌 그리할까

*과거의 일을 회상할 때 나쁜 기억은 빨리 지워버리고 좋은 기억만 남기려는 것

타골라 증후군

밤마다 흘린 모든 눈물
기억 저편 쑤셔 넣던 눈물

봇물 터지듯 역류하여
온몸 타고 흐른다.

눈물 이루고 있는 과거
머리까지 들어와
끝내 다시 죄스럽게 한다.

지울 수 없는 과거 잊으려 한
모두가 죄악 되어 돌아온다.
이것이 진정 내 자리이니

*자신이 보고 듣고 경험한 것을 하나도 잊어버리지 않고 세세
하게 모두 기억

와이트 섬리딩 증후군

그렇게나 화창할 수 없었던
그대 처음 만난 공원

그렇게나 아늑할 수 없었던
둘이 대화 나누던 식당

마침내 서로 이어지던
은은한 가로등 수 놓은 골목

그 모든 따스하던 기억
남아 있는 곳마다 가보면
어딘가에 그대 있으려나

차마 못 버린 미련 위 기다리면
언젠가 그대 지나갈까
그럴 일 없는 줄 알지만

*어떤 한 사람을 처음 만난 장소에서 계속 기다리는 현상

앨리스 증후군

퀴퀴하게 남루한 이불
태산만큼 커져 짓눌리네

발 디딜 바닥 밑으로 꺼지고
문고리 티끌만큼 작아지고

벽지 무늬는 이리저리 뒤틀려
매섭게 노려보는 눈동자 되네

꿈인지 헛것인지 진실인지
그 무엇도 분간하기 전

옅어지는 침대 아래 추락하네
아직도 숨 쉬고 있냐는 듯

*환각 증세

민히 제스턴 증후군

온몸 지나가는 세찬 바람
가슴 가득 서리 내리게 하니

마지막 힘 짜내 발악하는 심장
짙은 박동 머리 뒤흔드니

잔기침 되어 사라질 육신
하나둘 옅어지는 안광

죽어가는 생기 다음
기어이 찾아온 침묵
모든 게 멈추는 순간

*갑자기 심장이 멈추는 현상 1~2초 사이에 다시 원래로 돌아
오는 현상

남은 시간

시곗바늘 사이 운명 엮어
뜨개질 된 길 걷는 생명

시곗바늘 멈출 때
공평히 발 멈추는 생명

가장 밝게 반짝이다 흩어질 때
알지 못하기에 소중한 한 걸음

그럼에도 난 여기 멈추어
지독히도 아파하고 있나
어쨌든 시간은 흐르는데

정리

함께 걷던 길 가득 풍기던
향기로운 꽃내음

매일 새벽녘 보고파하며
창 너머 날리던 편지

항상 그대 담아 바라보던
여전히도 푸르른 하늘
서로의 우주 사이 잠깐 피어

찬란한 빛 뿜으매 죽어간
가장 밝아 아리따운 별

마지막으로 되뇌며
하나하나 정리하며

이제는 영원히
날려 보낼 준비를

서랍

서로를 향하던 눈빛은
별이 되어 우리를 감쌌었고

창 너머 서로에게 날린 편지는
끝없이 피어나던 구름이었다.

꾹꾹 눌러쓴 글씨에도
눈빛에도 가득하던 온기

그 온기에 가득 안겼던
따스함만 기억한 채

너무나 바삐 움직이는
너와는 끝매듭을 지어

맞잡았던 아담한 손 사이
작게 반짝이던 빛도

많은 깨달음을 머금은
마지막 손 인사도 다 같이
깊은 서랍 속 넣어둔다.

나는 앞으로도 끝없이 여러 증후 겪으며 성장하리라

고향

초록빛 또 금빛 바다 되어
다 익지 않아 파릇한 논

푸르게 일렁이는 파도 이는
바람결 따라 서걱이는 벼

금빛 바람 가르고 선 허수아비
까르르 웃는 아이들의 손때

그 위 낮게 나는 잠자리 한 쌍
날갯짓 소리 그려대는 원

무리 지어 재잘대는 참새
구름 사이 휘젓는 지저귐

그 옆 길게 놓인 회색 도로
창문 열고 달리는 회색 차

자글자글한 주름에 다다를수록
밥 뜨는 냄새에 다다를수록

꽃 가득 핀 진흙 길 달리는
붉은 바퀴 자전거 탄 아이

단풍의 위대함

짙은 색채 가득 뽐내는 단풍
다채로이 온 산 물 들인 단풍

수직으로 내리기는 빗줄기
사선으로 베어대는 빗줄기
녹아내리는 색감에

색 잃은 잎의 주름 보았기에
연륜 풍기는 풀 내음 저버리고

파도치는 바람 이끄는 대로
날아가 비행하네.

하늘 수놓은 분홍빛 별 되어
흩날리던 꽃잎의 모습
주마등 되어 바람 사이 스치네.

푸르른 채 보던 풍경 속
한 톨의 먼지 되어
죽어가는 심정이란.

새로이 푸르를 생명 위해
기꺼이 저무는 심정이란.

그 얼마나 위대한가
시린 겨울 견디면
꽃잎 여전히 어여쁜 줄 알고서

낮달

너무나 찬란한 그대
차마 못 보고 흘린
빛줄기 주워 빛나는 나는

차마 고개 들 수 없어
그대의 반대편을 향해가요

그러다 새벽녘이 지나고
밀려오는 푸르름이 날 감싸면

파아란 파도에 담긴 빛
기어이 내가 쬔다면

그 상쾌한 아침 사이
난 하얗게 질려버려요.

그렇게 마침내 흩어지다가
밤에 다다라서야 다시금
그대를 꿈꿔요.

언젠간 마주할 수 있기를
같이 빛날 수 있기를
동경하는 그대.

바퀴벌레

바라만 보고 있는데도
걷는 널 보고만 있는데도
먹는 널 보고만 있는데도

퀴퀴한 냄새가 풍겨오네
남루한 이불 속에서
어두운 침대 아래에서

벌써부터 눈앞이 아득하네
내 작은 방 뒤덮은 알들이
죄 집어삼킬 줄 알기에
초대장 없는 손님이 왔기에

네 목을 죄어도 불을 붙여도
다시 그 기이한 발을 딛어
기어 다닐 걸 알기에

가만히 눈을 감는다.

양치기여

새하얗고 자국 없는 백지장
연필 쥐는 법 가르치는 양치기

새하얗고 순수한 양
길 손수 안내하는 양치기

맨 앞의 무게가 무거울
바람이 붉힌 작은 손

어린 양 곧게 자라게 한
가엾고 위대한 작은 손

외로운 선두에서 내려오라
혼자 짊어지지 말라

어린아이일 틈 없었던
너무나 수고한 양치기여
너 또한 귀하지 않으냐

거성

사자 머리 번쩍이는
금빛 노랗게 빛나는
왕좌 앉아본들

온갖 짐승 머리 숙여
높은 신전 세운들

밝은 빛줄기 잣대 삼아
서로 무참히 난자하는데

계속 맺히는 진땀 사이
거센 가시 돋치는데

무슨 소용 있단 말인가
찬란한 것이란 말인가?

그저

몹시 밝은 빛 옆자리에
그저 태어났을 뿐이다

고귀한 숨 내쉬며
태어났을 뿐이다.

그저 연약했을 뿐이다
가느다란 빛 내뿜으며
어여뻤을 뿐이다.

그저 거성의 옆자리라
그저 보다 연약해서

고귀한 숨 연두색 빛깔
온갖 불결한 수식어 붙여
난자당해 버려졌다.

그저 그렇게 태어났을 뿐인데.

주홍 빛

어두운 밤하늘 사이
달리 빛나는 별 사이

황소처럼 거세게 반짝이며
무엇보다 빛나는 주홍 별

가장 밝고 멀리 닿는 별
가장 곱고 아름다운 별

모든 별에서 보이는 별
예찬하기도 질투하기도

받들다가도 끌어당기는
밤을 가로질러 느껴지는 시선
별을 난자해대는 시선에

빛을 꺼트릴까 고민하는 별
그 모든 건 네 잘못이 아니기에
여전히 밝게 빛나다오.

함께

모두 둥글게 모여 앉아
가운데로 이끄는 바람
몸 맡겨 함께 빛날 때

서로 맞잡았던 손의 온기
함께 마주 보던 눈의 안광

맞춰 걷던 모든 발걸음 모여
분홍빛 유성우 태어날 때

홀로 사는 검은 세상 사람들
쌍둥이 되어 함께할 때
가장 아름다울 텐데

제3장 푸른 날개

비행하길 바라는 응원 전해지길

시침

밝게 미소 짓는 태양
포근히 감싸 안는 바람

드높게 푸르른 하늘
입김에 향기 담은 꽃

네 눈 앞에 펼쳐진
그 모두를 즐기라.

땅만 보고 달리기엔
시침이 향한 숫자는
십 대에 머물러 있으니.

지나갈 시간이
참 많이도 남았으니.

올바른 길을 갈구하기엔
너무 푸르게 불타오른다.

기억나나요

그대 기억나나요
당신의 자그마한 방
천장까지 차오른 눈물

거대한 바다 되어
그대 집어삼키던 때

그대 기억나나요
당신의 좁은 침대
자리 내어준 그림자

그대 가득 짓눌러
목 죄어오던 때

그대 잊지 말아요.
가파른 다음 계단의
고단한 발 딛음을

그대 잊지 말아요.
높고 험한 산꼭대기
황홀한 풍경 기다림을

기차

시곗바늘 따라 흐르는
무정한 바람으로 만든
기차가 달려간다.

꿈틀대는 생명 올라타
한껏 만개하기도

찬란했던 생명 내려
저무는 노을 되기도

각기 다른 걸음으로
각자의 자리 앉기도

뜨거운 숨으로 가득 찬
많은 이 붐비는 칸이기도

부유하는 먼지 비치는
텅 비어있는 칸이기도 하다.
각자의 때가 있으니까.

이 겨울, 나무에게

따스한 바람 사이로
가득 피운 별 흩뿌리던
아름답던 너는

강렬한 햇빛 주워 담아
가득 잎사귀 뻗어내던
푸르르던 너는

하나둘씩 무르익어
가득 온몸 붉히던
농익었던 너는

짙게 내려앉은 한기 속
한 가지 건사하기 힘들대도
결국 눈보라 견디어

다시 그 자리에 꽃 피우고
녹엽 살아 뜨거운 숨 내쉬고
짙은 열매 맺으리라

천구성

옅게 비추는 달빛에 수없이 소원을 써 내린다.
빛줄기 사이 수영하여 달까지 다다른 글씨들
회색빛 발판 위 디뎌 검은 도화지로 날아오른다.

보일 듯 안 보일 듯 이리저리 떠다니던 소원은
우연히 서로 만나 뭉쳐 크디큰 별이 태어난다.

온몸에 빛 가득 발라 길게 반짝이는 꼬리 달고
떠다니던 도화지 위를, 도약하던 회색 길
수영하던 은은한 빛을 모두 거슬러 가 마침내

숨결 가득 눌러쓰던 그곳으로 다시 날아간다.
끝없이 간절하던 손의 이유를 들어주러.
포기하지 않고 빌어대던 손을 잡아주러.

*천구성 : 유난히 밝은 유성

아침

차가운 새벽 공기 취해있던 나는
더 이상 몽롱하지 않을 테니.

긴 밤 닮아 어두운 눈물 사이
팔다리 휘저으며 허우적대던 나는
더 가라앉지 않을 테니.

결국 밤바다 가득 펼쳐져
별 한점 비치지 않던 나는
더 이상 잠잠하지 않을 테니.

상쾌한 산들바람 한 아름 가득 안아
지나간 초침 아래 진 그림자의 바다
그 위 파도치는 푸르름 딛고 걸어

이리저리 노 저으며 항해하리.
끝내 아름다울 아침 향해가리.

영원

광활히 푸르른 하늘 아래
우렁차게 내뱉는 첫 숨

티끌이 모이고 모여 기어코
세상에 각인된 모든 덩어리

무언가 모여 지어진 모든 것
시간이 부는 바람에 기어이
다시 흩어져 사라지기 마련

순풍 가르며 맞잡은 두 손
같은 햇볕을 쬐는 두 눈

이 작은 삶 이어지매
영원하리라 믿는 이

이별은 필히 찾아오니
굳이 유별나게 마음을 담아

반드시 마음을 전하라
소망하던 영원으로 끝내
다다르지 못했음 깨닫기 전에

샛별

저 어둑어둑한 밤하늘 사이
달마저 먹혀버린 어둠 사이
아담한 빛 하나 반짝인다.

산 너머 반대편으로 도망가는 태양
허겁지겁 떨어뜨린 빛줄기 주워 발라
황백색 밝게 내뿜는 샛별 반짝인다.

법전도 저울도 썩어버린 밤하늘 거슬러
순백의 하늘 도사릴 반대편 향해간다.

악취 풍겨도 바람 거세어도 멈추지 마라
느리대도 새로이 역사 써 내리고 있으니

*샛별은 금성이다.

작은 숨

모두가 잠든 밤 홀로 불 켜진 방
두 눈 뜨고 삐걱거리는 창 기대어

소리 없이 작게 새근대는 새
해수면 아래 깊이 호흡하는 해

다 보고서도 제 귀에 닿지 않게
금세 사라지게 천천히 내쉬는 숨

붉어진 눈 타오르는 가슴에도
누군가 들을까 작게 내쉬는 숨

언젠가 이 한숨 높은 파도 되어
악몽마저 모두 밀려갈 수 있도록

잠든 밤에 작은 방에 마침내
제 이름 당당히 새길 수 있도록

목 죄어가며 숨죽이길 멈추고
용기 내어 한숨 세게 떨어보라

작가의 말

모두의 세상을 보는 창이 맑아지길 바라며